W9-CHB-755

EDICIONES ekaré

Edición a cargo de Verónica Uribe
Dirección de arte: Irene Savino
Diseño: Ana Palmero Cáceres

Primera edición en tapa dura, 2011

Av. Luis Roche, Edif. Banco del Libro, Altamira Sur. Caracas 1060, Venezuela

C/Sant Agustí 6, bajos. 08012 Barcelona, España

www.ekare.com

ISBN 978-84-938429-9-4

Impreso en China por South China Printing Co. Ltd.

La noche de las estrellas

Douglas Gutiérrez
Ilustraciones de María Fernanda Oliver

Ediciones Ekaré

Hace mucho tiempo, en un pueblo que no está ni cerca, ni lejos, sino mucho más allá, vivía un señor al que no le gustaba la noche.

Durante el día, a la luz del sol,
el señor disfrutaba tejiendo sus cestas,
cuidando sus animales y regando su huerto.
A veces, mientras descansaba,
se ponía a cantar. Pero cuando el sol
se ocultaba detrás de la montaña,
el señor al que no le gustaba la noche
se entristecía. Todo a su alrededor
se iba poniendo gris, oscuro y negro.
—Otra vez la noche. ¡Qué fastidio con la noche!

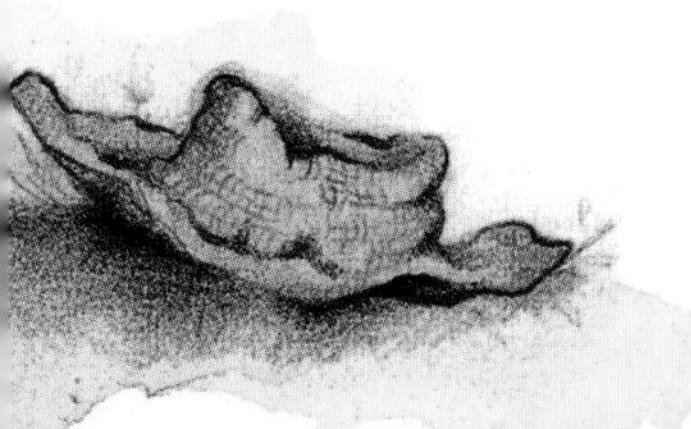

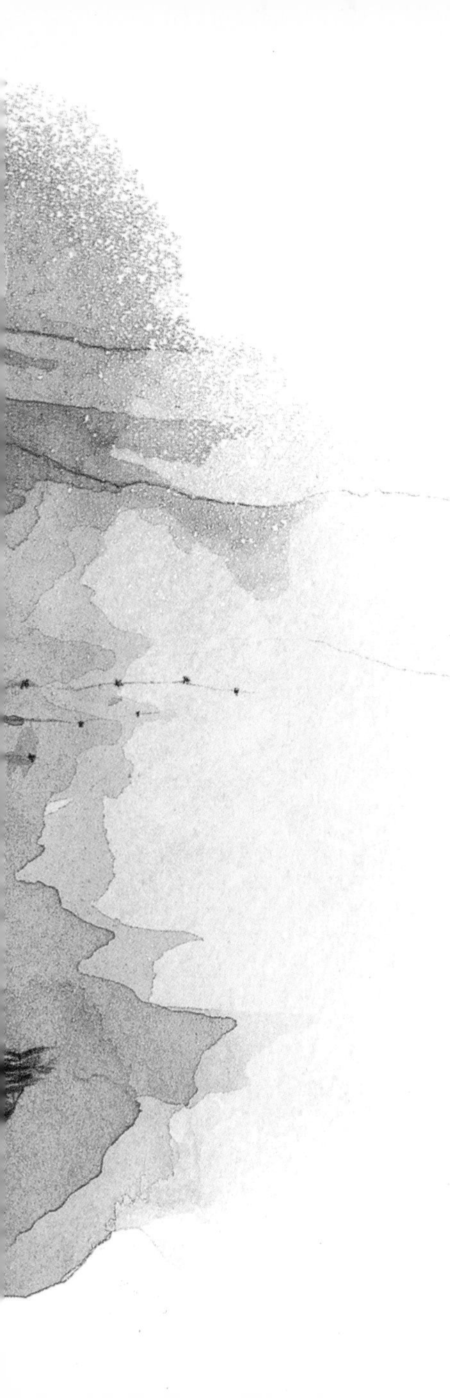

El señor guardaba sus animales,
recogía las cestas, encendía la lámpara
y se encerraba en su casa.
A veces, se asomaba por la ventana,
pero no había nada que ver en la noche negra.
Entonces apagaba la lámpara
y se acostaba a dormir.

Una tarde, cuando el sol ya desaparecía,
el señor decidió subir a la montaña.
La noche venía tapando el cielo azul.
El señor escaló hasta la punta del
cerro más alto y desde allí gritó:
—Mira, noche. Párate.

Y la noche paró un momento.
—¿Qué pasa? –preguntó con una voz suave y ronca.
—Noche, tú no me gustas. Cuando tú llegas,
se va la luz y se van los colores. Solo queda la oscuridad.
—Tienes razón –respondió la noche–. Así es.
—Dime, ¿adónde te llevas la luz?
—Bueno, la luz se esconde detrás de mí.
No puedo hacer nada. Lo siento.

Y la noche terminó de estirarse y tapó de negro todas las cosas.

El señor bajó de la montaña
y se acostó a dormir.

Pero no pudo dormir.
Recordaba su conversación con la noche.
Al día siguiente trabajó muy poco,
pensando y pensando en las palabras
de la noche.
Y esa tarde, cuando la luz volvió
a desaparecer, dijo:
—Ya sé lo que tengo que hacer.

Subió una vez más a la montaña.
La noche era un inmenso
toldo negro que lo cubría todo.
Cuando llegó hasta la punta
del cerro más alto, el señor se empinó,
alzó su mano y hundió un dedo en el cielo negro.
Un agujerito se abrió y brilló un puntito de luz.
El señor al que no le gustaba la noche
se puso contentísimo.
Abrió agujeritos por todas partes
y en todas partes brillaron puntitos de luz.

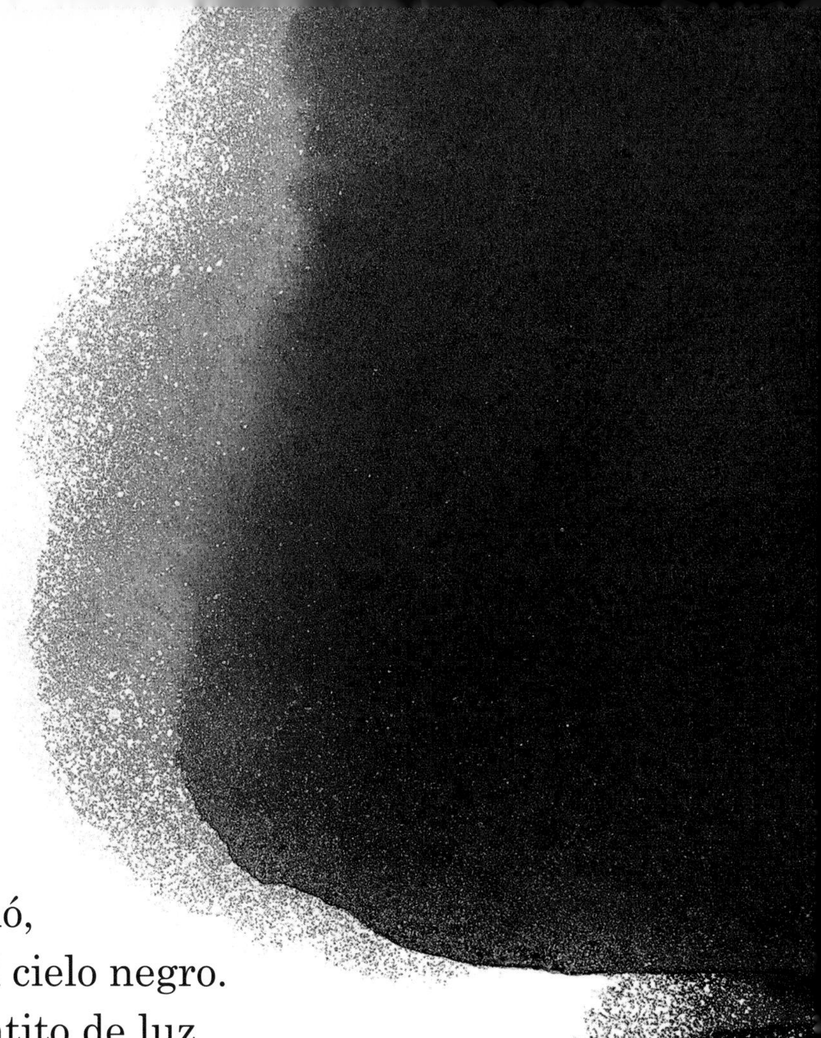

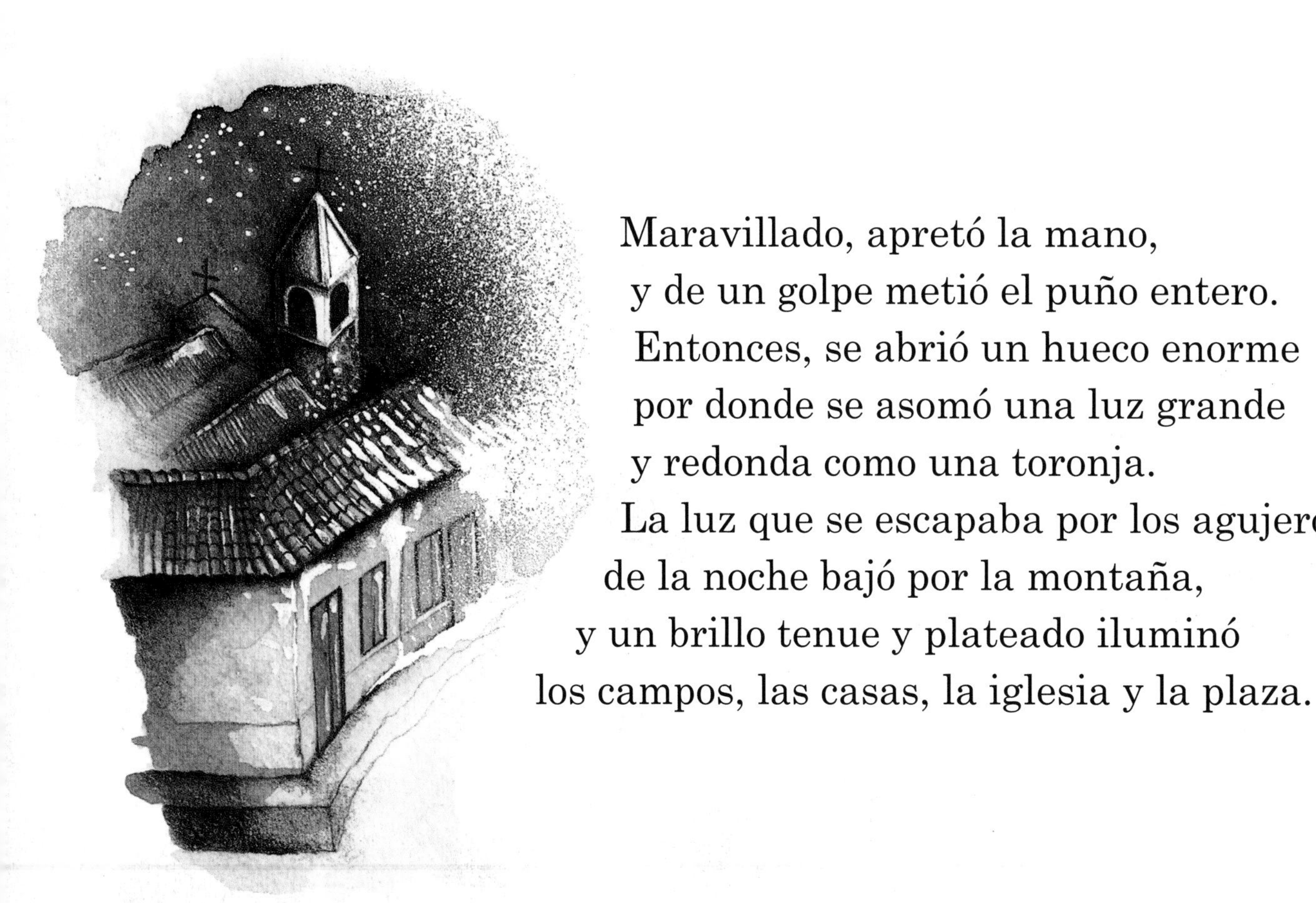

Maravillado, apretó la mano,
y de un golpe metió el puño entero.
Entonces, se abrió un hueco enorme
por donde se asomó una luz grande
y redonda como una toronja.
La luz que se escapaba por los agujeros
de la noche bajó por la montaña,
y un brillo tenue y plateado iluminó
los campos, las casas, la iglesia y la plaza.

Esa noche nadie durmió en el pueblo.

Desde entonces,
cuando el sol se va,
el cielo se llena de luces
y la gente puede quedarse
hasta muy entrada la noche
mirando la luna y las estrellas.